Johanna Haid

Duftende Salzburger Gebinde

Frech-Verlag Stuttgart

Zum Bild auf dem Umschlag:

Großes rustikales Wandgebinde

Das große Wandgebinde ist 72 cm lang und 20 cm breit. Der Befestigungsstab hat eine Länge von 62 cm.
Man benötigt zu diesem Gebinde 25 einzelne fest angedrahtete Sträußchen. Das fertige Wandgebinde wurde mit Gewürzscheibenblumen, Stoffblumen, großen Gewürzkugeln, Erlen-, Kiefern- und Zypressenzapfen, Schafgarben, Mohnkapseln, Bucheckern, künstlichen rot-gelben Äpfeln und Hagebutten und Gewürzen ausgeschmückt.
Alle Teile wurden in das Gebinde eingeklebt.

ISBN 3-7724-0392-1 · Best.-Nr. 701

Auflage: 13. 12. 11. 10.
Jahr: 1987 86 85 84
Letzte Zahlen maßgebend

frech-verlag
GmbH + Co. Druck KG Stuttgart

Druck: Frech, Stuttgart

Material

Zum Anfertigen der verschiedenen Gebinde benötigt man auch unterschiedliches Werkmaterial.
Zum normalen Binden ist ein ca. 0,5 mm starker grünlackierter Wickeldraht zu empfehlen.
Für die länglichen großen Wandgebinde wurde etwas stärkerer Draht verwendet, der meist in 30 cm langen Stücken angeboten wird. Noch vorteilhafter ist der silberne mittelstarke Draht zur Strumpfblumenherstellung.
Für die feinen Arbeiten, wie z. B. das Auffassen des Bouillondrahtes usw. wird dünner, grüner oder brauner Wickeldraht, Gold- oder Silberdraht verarbeitet (Silberdraht kann man auch in Geschäften für Imkereibedarf als sogenannten Imkerdraht erhalten).
Zum Binden und Verschönern benötigt man Floristenband in den Farben Moosgrün oder Braun. Hellgrünes Kreppband ist etwas unruhig in der Farbe und wirkt leicht störend.
Die Klebearbeiten an allen Gebinden wurden mit Uhu-Alleskleber ausgeführt.
Zum Schneiden der Ruskuszweige eignet sich besonders gut eine Garten- oder Rosenschere. Alle anderen Schneidearbeiten können mit einer normalen Bastelschere getätigt werden.

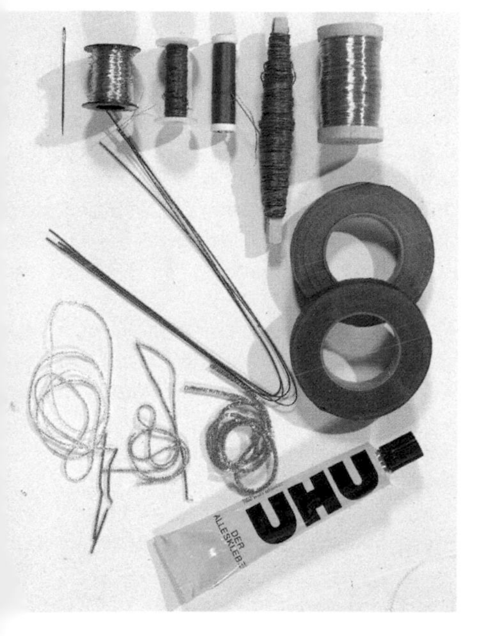

a) Nadel

b) dünner Golddraht

c) dünner grüner Wickeldraht

d) Faden

e) normaler Bindedraht

f) Silberdraht

g) stärkerer Wickeldraht

h) Floristenband moosgrün und braun (Floristenkrepp)

i) Bouillondraht silbern und golden

k) Klebstoff schnelltrocknend

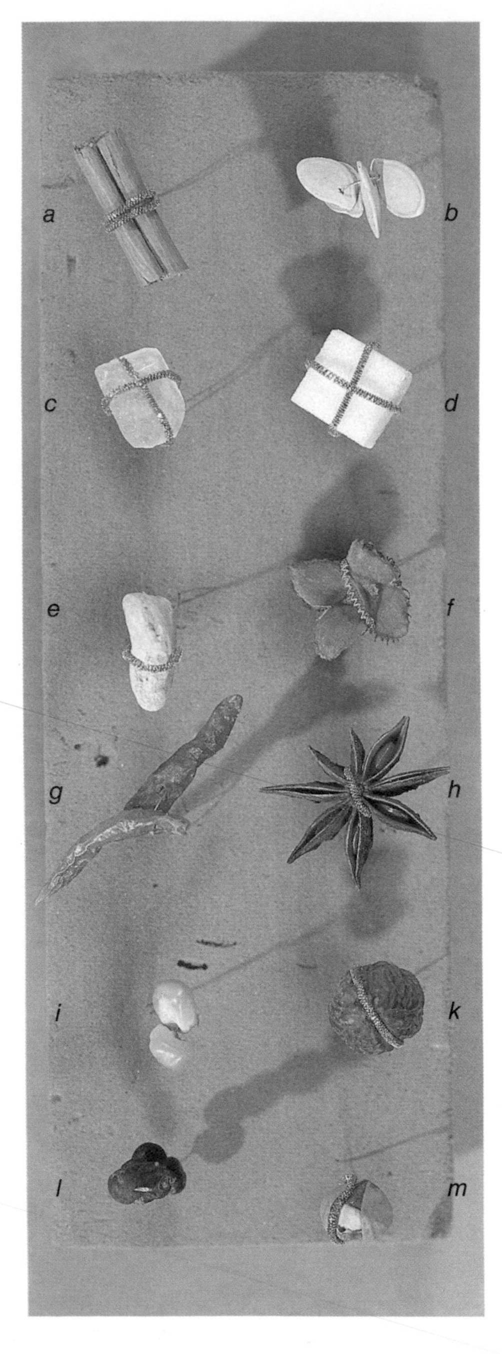

Das Andrahten

a) Zimtstangen und Vanilleschoten sind meist zur Verarbeitung zu lang, deshalb werden sie gekürzt. Man schneidet mit einer scharfen Schere oder einem Messer drei oder vier Teile von der Stange ab. Ein etwa 4 cm langes Bouillondrahtstück in die Mitte eines 10 bis 12 cm langen Wickeldrahtstückes schieben. Die Zimt- oder Vanillestange 2mal mit Bouillondraht umspannen und die Wickeldrahtenden fest verdrillen.

b) Kürbiskerne weiß und grün sowie Sonnenblumenkerne werden in Gruppen von 3 bis 5 Stück verarbeitet. Die Kerne vorsichtig mit einer Nadel durchstechen, auf den Wickeldraht aufreihen und die Drahtenden verdrillen.

c)+d) Für Würfelzucker und Kandiszukker weiß oder braun braucht man einen ca. 5 cm langen Bouillondraht. Zuerst wird der Bouillon aufgefaßt, genau über die Zuckermitte geführt und auf der unteren Seite zusammengedreht. Dann den Zucker mit dem Bouillondraht vierteln, so daß auf der Zuckeroberseite ein Kreuz entsteht. Den Wickeldraht auf der Rückseite verdrillen. Um Bouillondraht zu sparen wird die Spirale auf der Rückseite des Zuckers auseinandergezogen.

e) Beim Auffassen des Ingwers richtet sich die Bouillondrahtlänge nach der Gewürzgröße. Die meisten Ingwerteile haben Verzweigungen, in die man den bouillonbespannten Wickeldraht legen und befestigen kann. Ansonsten wird in das Ingwerstück mit einem Messer eine kleine Kerbe geschnitten und der Draht eingelegt.

f) Bei Bucheckern wird ein 1 bis $1^{1}/_{2}$ cm

langes Bouillondrahtstück auf den Wickeldraht geschoben, über die Bucheckermitte gelegt und auf der Rückseite verdrillt.

g) Einzelne Chilifrüchte werden eingeklebt. Bei größeren Gebinden wird die Frucht zu Gruppen zusammengedrahtet (siehe b).

h) Sternanis siehe Bucheckern (f).

i) Der untere, weichere Teil der Maiskörner wird mit einer Nadel durchstochen und auf Draht aufgefaßt.

k) Die Muskatnuß wird so in die Hand genommen, daß die Nußrillen von oben nach unten verlaufen. Mit einer spitzen Schere vertieft man die vorhandene große Mittelrille rund um die Nuß. Ein 3 bis 3½ cm langer Bouillondraht wird auf die Wickeldrahtmitte geschoben, in die gekratzte Rille gelegt und der Wickeldraht auf der Unterseite der Nuß verdrillt. Der Bouillondraht braucht von der Nuß nur die obere Hälfte zu überspannen, da der untere Nußteil im Gebinde steckt.

l) Wacholderbeeren werden in Gruppen verarbeitet. Jede einzelne Beere wird vorsichtig mit einer sehr dünnen Nadel durchstochen. Auf einen dünnen Wickeldraht werden 5 bis 6 Beeren aufgefaßt und der Draht nach ca. 6 cm (Stiel) abgeschnitten. Am oberen Ende des Drahtes wird eine Öse geformt, so daß die Beeren nicht abfallen können.

m) Zwischen die aufgesprungenen Pistazienschalen wird ein 1 cm langer aufgedrahteter Bouillondraht gelegt und der Wickeldraht sehr fest auf der Rückseite der Nuß verdrillt.

Häufig werden bei den Gewürzgebinden Mandeln, Hasel- und Walnüsse ohne Schale verarbeitet.
Bei Mandeln und Haselnüssen wird mit einer Nadel ein Loch gestochen und die Nuß auf dem Wickeldraht befestigt.
Walnüsse lassen sich leicht auffassen, da die Kernhälften unregelmäßig geformt sind und sie deshalb mit Draht umspannt werden können. Besonders reizvoll wirkt die Walnuß mit Bouillondraht umwickelt.

Stellt man Gewürzkugeln selbst her, so kann man die pulverisierten Gewürze wie Paprika, Pfeffer, Curry sowie Senfkörner, Mohn, Kümmel usw. auf angedrahtete Wäscheknöpfe, Wattekugeln, Haselnüsse, Erlenzapfen oder Eicheln kleben. Man läßt sie gut antrocknen und übersprüht sie evtl. mit Klarlack.

Alle Gewürze lassen sich selbstverständlich auch ohne Bouillondraht andrahten, die Technik bleibt die gleiche.

Andrahten von Gewürznelken

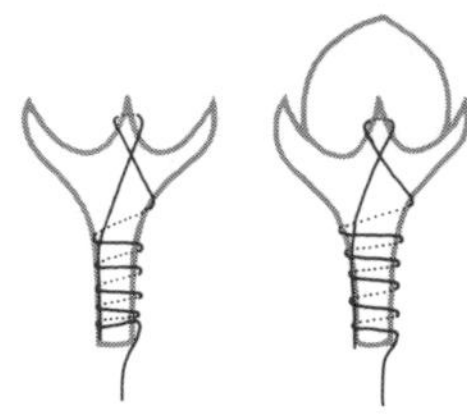

a) Das einfache Andrahten

Um einen guten Halt zu erreichen den Anfang des dünnen Wickeldrahtes an den Nelkenhals legen, über einen der vier Nelkenzacken schlingen und zurück fest um den Nelkenhals wickeln. Draht je nach Verwendung 4 bis 6 cm lang abschneiden.

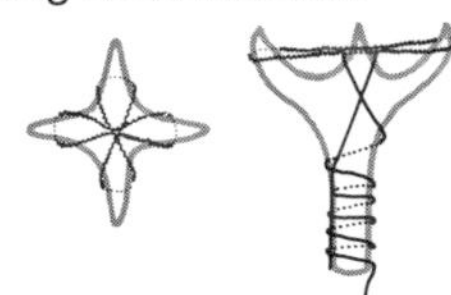

b) Verzierung mit gezogenem Bouillondraht

Eine ca. 1/2 cm lange Bouillondrahtspirale auseinanderziehen, so daß ein dünner, welliger Draht entsteht. Diesen Draht in kleinen Achtern um die Nelkenspitzen spannen (Nelken ohne Köpfchen).

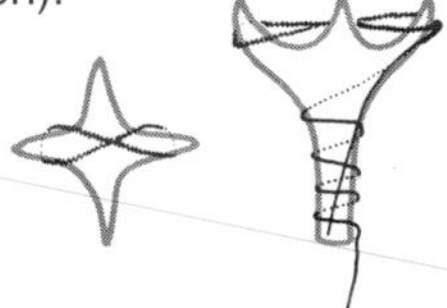

c) Die Bouillonachter-Nelke ohne Köpfchen

Durch 1 1/2 cm Bouillondraht einen dünnen Wickeldraht schieben. 1/2 cm Draht am Nelkenhals anlegen, den mit Bouillon umhüllten Draht in Achterform um die Nelkenspitzen schlingen und den Draht nach unten um den Nelkenhals wickeln.

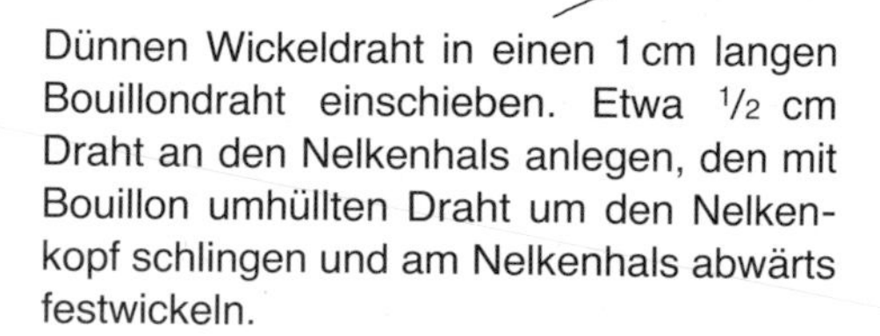

d) Nelkenköpfchen – mit Bouillondraht umspannt

Dünnen Wickeldraht in einen 1 cm langen Bouillondraht einschieben. Etwa 1/2 cm Draht an den Nelkenhals anlegen, den mit Bouillon umhüllten Draht um den Nelkenkopf schlingen und am Nelkenhals abwärts festwickeln.

Gewürzblumen auf Kartonscheiben

Einfach ist die Herstellung und trotzdem sind diese Blumen sehr dekorativ. Aus einem steifen Karton wird eine runde Scheibe ausgeschnitten (große Blumen 4 cm, kleine Blumen 3 cm Durchmesser).
In der Mitte der Scheibe werden mit einer Nähnadel oder einer sehr spitzen Schere vorsichtig nebeneinander zwei Löcher gebohrt. Durch diese Löcher wird ein mindestens 15 cm langer Bindedraht geschoben und an der Kartonunterseite verdrillt. Mit diesen beiden Drahtenden kann später die fertige Blume in das Gebinde eingefügt werden.
Die Oberseite der Scheibe wird dick mit Uhu bestrichen und die verschiedenen Gewürze und Samen in dem gewünschten Muster aufgelegt; die äußeren sollen etwas über den Rand hinausragen.
Damit sich Gewürze und Samen nicht so leicht ablösen, kann die fertige Blume mit Klarlack übersprüht oder gestrichen werden.

Material für die kleinen Blumen:

a) Linsen, ganzer schwarzer Pfeffer
b) Kaffeebohnen, Haferkörner, Kümmel
c) Maiskörner, Linsen
d) Gelbe Erbsen, Kümmel
e) Haferkörner, ganzer schwarzer Pfeffer
f) Sonnenblumenkerne
g) Kleiner weißer Kürbis, Nelkenköpfchen
h) Apfelkerne, rote kleine Linsen
i) Weizenkörner (Kornmulde nach oben), Kümmel
k) Sonnenblumenkerne ohne Schale, Apfelkerne, gelbe Erbsen, Senfkörner
l) Gerstenkörner im Wechsel mit Kaffeebohnen, Senfkörner
m) Gerstenkörner, Wacholderbeeren

Kleine Blumen
3 cm ∅

a	b	c
d	e	f
g	h	i
k	l	m

Große Blumen
4 cm ∅

n	o	p
q	r	s
t	u	v
w	x	y

Material für die großen Blumen:

n) Wacholderbeeren, Sonnenblumenkerne, rote Linsen
o) Kaffeebohnen, Senfkörner
p) Nelken ohne Köpfchen, Senfkörner
q) Apfelkerne, ganzer schwarzer Pfeffer
r) Grüne Kürbiskerne, Senfkörner
s) Nelken mit Köpfchen und Kaffeebohnen im Wechsel, weiße Kürbiskerne, Pfeffer
t) Sternaniszacken (unten etwas abflachen, dann aufkleben), gelbe Erbsen
u) Nelken mit Köpfchen, rote Linsen
v) Nelken mit Köpfchen und weißer Kürbis im Wechsel, Kaffeebohnen, Senfkörner
w) Weiße Kürbiskerne, ganzer schwarzer Pfeffer

Die Unterlage zum Herstellen der Blumen kann auch ein runder Spiegel sein, den man sich in einer Glaserei oder im Kaufhaus besorgt.

x) Eine Pappkartonscheibe, etwas kleiner als der Spiegel, wird angedrahtet. Auf diese Kartonscheibe wird der Spiegel aufgeklebt und mit Gewürzen verziert. Die Spiegelmitte bleibt frei.
y) Spiegelrand mit Klebstoff bestreichen und mit verschiedenen Gewürzen so verzieren, daß vom Rand nichts mehr zu sehen ist. Befestigt wird der Spiegel, indem man Bouillondraht auffaßt, kreuzweise durch den Gewürzrand über den Spiegel zieht und auf der Rückseite zu einem Stiel zusammendreht.

Wandgebinde aus braunem Ruskus

Zum Herstellen dieses Wandgebindes benötigt man 16 kleine, fest zusammengebundene Sträuße mit einer Ruskuslänge von 7 bis 8 cm.
Es empfiehlt sich, dazu beim Binden dicken Wickeldraht zu verwenden, damit das Gebinde einen guten Halt bekommt. Beim Zusammendrahten der Sträuße muß ein Drahtstiel von ca. 12 cm zum Anbinden an den mittleren Stab berücksichtigt werden.

Ein 23 cm langer fingerdicker Stab wird mit Floristenband oder Kreppapier umwickelt.
Der erste Strauß wird am Stabende fest angebunden. Nun folgt je ein Strauß rechts und links. Die Drahtenden werden dabei fest an den umwickelten Stab gebunden. Erst dann setzt man den mittleren Strauß ein. Er gibt dem Gebinde die gewölbte Form.
Der Anfang ist etwas schwierig, man darf dabei die Sträuße nicht zu locker an den Stab binden, da sie sonst sehr leicht verrutschen. Nun wird die Arbeit bis zur gewünschten Länge fortgesetzt.
Soll das Gebinde, wie auf dem Foto, oben und unten geschlossen sein, so wird zuerst bis zur Mitte des Stabes gearbeitet, der Bindedraht zum anderen Stabende geführt und anschließend vom freien Stabende erneut bis zur Mitte gebunden.
In der Stabmitte werden die Drahtenden der Sträuße ineinandergesteckt und verdrahtet. Sollen die Drähte auch auf der Rückseite des Gebindes verdeckt sein, wird jedes Sträußchen vor dem Einbinden mit Floristenband umwickelt. Dabei darf der Andrahtstiel nicht vergessen werden. Dann erst wird das Sträußchen an den Stab gebunden. Die Andrahtstelle am Stab wird nach jedem Sträußchen mit Floristenband umwickelt (siehe Arbeitsbild).

Material:
Gewürzblumen, Kiefern- und Erlenzapfen, Schafgarbe, großer Mohn, braune Äpfel, Bouillondrahtblumen.

Wandgebinde in Gold

Dieses Wandgebinde wurde nur von oben nach unten gearbeitet. Ein Stab von 34 cm Länge dient als Gerüst. 24 cm dieses Stabes wurden mit Sträußen umbunden; 10 cm ergeben den Stiel zur Befestigung der Schleife. Die Straußdrähte werden fest an das untere Stabgerüst gedrahtet. Das fertige Gebinde hat eine Länge von 42 cm und eine Breite von 21 cm.
Das Ruskusgebinde wurde vor dem Einkleben der Gewürze, Blumen usw. in Form geschnitten und gleichmäßig mit Goldspray überzogen.
Für das Besprühen der Gegenstände empfiehlt es sich, diese in einen Karton mit etwas höherem Rand zu legen und zu besprühen. Über den Schachtelrand kann der Sprühnebel nicht hinaus und andere Gegenstände benetzen.
Das Wandgesteck wird nun mit Ausschmückmaterial vollgeklebt. Die Ruskusunterlage soll nicht mehr sichtbar sein.

Material:
Kiefern-, Zypressen-, Erlen- und Lärchenzapfen, Eicheln, Bucheckern, Mohn, Kugeldistel, Bouillon-Nelken, Ingwer, Zimtstange, Muskatnuß, Gewürzkugeln, Gewürzblumen auf Kartonscheiben und goldene Rosen.

Das Anbringen der Schleife an das Wandgebinde

Das überstehende Stabende wird mit Kreppapier oder einer Zierschleife von unten nach oben (Fingerverband) umwickelt und verklebt.
50 cm Zierband (Breite mindestens 2 cm) wird mit einem einfachen Knoten knapp unter den letzten Sträußen an den Stab gebunden. Die Bandenden sollen parallel zum Stab liegen (Skizze a).
Mindestens 1½ m Zierband wird laut Skizze b gefaltet und durch die Faltenbögen angedrahtet. Die fertige Schleife wird auf den Knoten der ersten Schleife gelegt. Auf der Rückseite des Gebindes festgedrahtet und mit der Zierschleife von Skizze a nochmals festgeknotet. Die Schleifenenden schräg abschneiden.

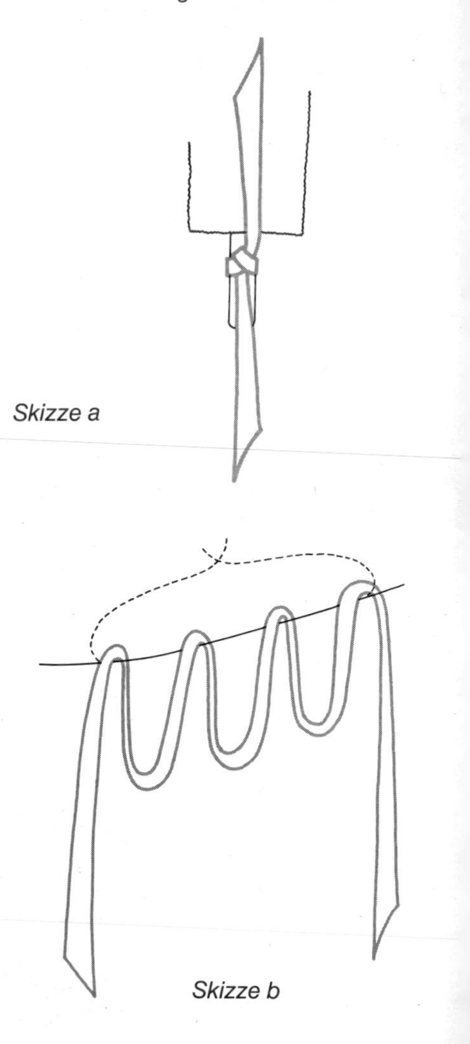

Skizze a

Skizze b

Goldstrauß mit Nelkenblumen

Der Strauß mit einem Durchmesser von 20 cm besteht aus 4 Einzelsträußchen. Fünf Pappscheiben wurden mit Nelken beklebt, dabei können Nelken mit und ohne Köpfchen verarbeitet werden. Die Nelkenscheiben reichlich mit Klarlack versehen und nach dem Trocknen in den Strauß einkleben. Die Zwischenräume werden mit vergoldeten Zapfen, Mohnkapseln und Eicheln ausgeschmückt. Seidenblumen und Zierschleifen beleben den Strauß.

Der Trachtenanstecker

Kleine und kleinste Mini-Sträußchen als Anstecknadeln finden immer mehr Liebhaber.
Auf der Rückseite eines Zierblattes wird eine Anstecknadel, wie sie in jedem Bastelgeschäft verkauft wird, aufgenäht. Manche Geschäfte führen auch spezielle Anstecker für Ansteckstäußchen.
Schöne große Nelken, kleiner Sternanis, Ingwer, Zimtstangenstücke und kleiner Feldmohn wird mit Bouillon angedrahtet und ein 5 cm langes Drahtende zum Befestigen am Blatt belassen.

Skizze a:
Ein Zierblatt wird etwas eingeschnitten, damit die Bindestelle nicht allzu weit über das Blatt hinausragt.

Skizze b:
Auf zwei ca. 10 cm lange Drähte je ein 2 cm und ein 3 cm langes Bouillonstück schieben, zu einem Kreis biegen und die Drahtenden verdrillen. Diese zwei verschieden große Kreise so andrahten, daß sie fast bis zur Blattspitze reichen.

Nun werden die Gewürze, Mini-Früchte, Blümchen usw. leicht erhöht auf das Blatt gebunden. Die Gewürze sollen zum Stiel hin abrunden. Dazu werden bei den Nelken die Hälse gekürzt, so daß sich die Nelkenköpfe besser über die Bindestelle legen. Die Drahtenden werden auf 2 bis 3 cm gekürzt, fest zusammengedreht, mit Floristenband überzogen und evtl. etwas gebogen.
Als Abschluß kann eine kleine Samtschleife daraufgenäht werden.
Anstelle der Bouillonbögen kann auch z. B. ein Bernsteinanhänger eingearbeitet werden.

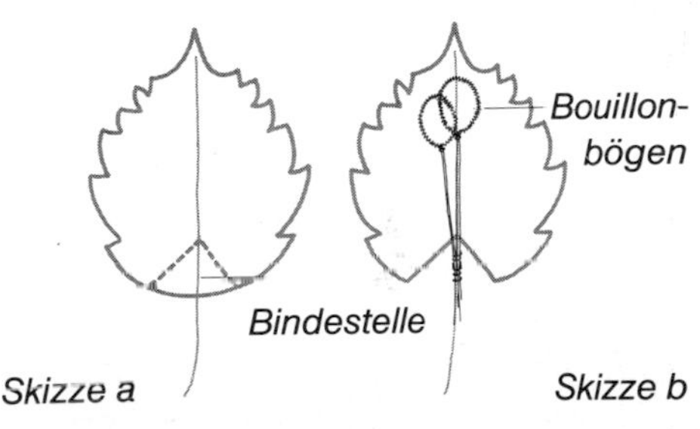

Nelkenanhänger

Das Aufhängerinnere ist ein etwas stärkerer Karton, der als Gerüst zum Aufkleben der Nelken dient.
Je nach Verwendungszweck kann man Herz-, Kreis-, Viereck-, Dreieck- und Baumform arbeiten (Muster sind Originalgrößen).
Die Kartonformen sollen nicht breiter als 7 mm zugeschnitten werden.
Schöne, möglichst gleichmäßig große Nelken, deren Hälse auf die Breite der Kartonform zugeschnitten wurden, also 6 bis 7 mm, klebt man im Wechsel, eine Nelke nach innen, eine Nelke nach außen schauend, auf die Form.
Ist eine Seite der Kartonform beklebt, wird ein selbstklebendes Zierband, eine Zick-Zack-Litze oder eine Goldborte so auf die Nelken geklebt, daß keine Nelkenhälse und kein Karton mehr sichtbar sind.
Nun folgt auf der Rückseite der gleiche Arbeitsgang. Die Nelkenköpfe kommen dabei übereinander zu liegen. Auch Nelken ohne Köpfchen können verarbeitet werden (rotes Herz Bildmitte und lila Viereck).
Besonders hübsch ist es, wenn man noch einige Blümchen anbringt. Das Blatt und die Blumen wurden zuerst zusammengedrahtet und auf die gewünschte Stelle geklebt.

Als Aufhänger wird ein schmales Samtband an den Nelkenanhänger geknotet. Diese duftenden Anhänger finden Verwendung als kleines Dankeschön, als Päckchen- und Weihnachtsschmuck.

Kartongerüst für die Nelkenanhänger in Originalgröße

a b c d e f

Blumen aus Kürbiskernen

Im Handel erhält man weiße und grüne Kürbiskerne unterschiedlicher Größe. Für die Blumenherstellung eignen sich besonders gut die kleineren Kerne. Bei allen Blumen läßt man einen 6 cm langen Drahtstiel zum Einkleben in die Gebinde übrig.

a) Mit einer Nähnadel wird in die Kürbiskernrundung ein Loch gestochen. Durch das Loch steckt man einen ca. 14 cm langen Wickeldraht und verdrillt ihn zu einem Stiel. Fünf oder sechs Blütenblätter ergeben eine Blume. Blütenblätter um einen Stempel binden.

b)+c) Bei diesen Blumen ist die Arbeitstechnik die gleiche. Jeder der sechs Kürbiskerne wurde 3 bis 4 mm vom oberen Rand entfernt mit einer spitzen dünnen Nadel durchgebohrt. Bei Blume b) ist die Kernspitze oben, bei Blume c) die Rundung. Auf einen 15 cm langen Wickeldraht wurde bei Blume b) ca. 1 cm Bouillondraht, bei Blume c) wurden 6 kleine durchlöcherte Perlen aufgefaßt und bis zur Mitte des Drahtes geschoben. Dann wird der Draht durch das Loch im Kern geführt, das Perlen- oder Bouillonstück auf die Kernmitte gelegt und der fest gespannte Wickeldraht unten am Kern verdrillt. Um hier eine bessere Bindestelle zu erhalten, kann man den Kürbiskern vorsichtig einschneiden.

d) 9 sehr kleine Kürbiskerne wurden in der Kernspitze mit einem Loch versehen. Durch diese Löcher reiht man alle Kerne auf und dreht die beiden Drahtenden fest zusammen. Da die Blüte einseitig angedrahtet ist, wird auf der gegenüberliegenden Seite der Bindestelle ein Drahtstück eingeschoben und die Blüte gerade gezogen. In die Mitte der Kerne schiebt man einen Blütenstempel.

e) Durch 5 grüne Kürbiskerne mit einer Nadel in die Kernrundung ein Loch vorstechen und andrahten. Auf jeden grünen Kern mit Klebstoff einen kleineren weißen kleben. Kerne gut antrocknen lassen und um einen Blütenstempel befestigen.

f) Sehr verspielt sieht diese Blume aus. Die grünen Kürbiskerne lassen sich leicht mit einer Nadel oder mit dem Wickeldraht durchstechen. In den Kürbiskern werden ca. 3 mm von der Spitze zwei nebeneinanderliegende Löcher eingestochen. Der Abstand der Löcher soll nicht größer als die Kugel sein. Zur späteren Befestigung wird an der Kernrundung noch ein 3. Loch eingestochen. Ein 14 cm langer Wickeldraht wird von der Kernrückseite bis zur Mitte des Drahtes durch eines der Löcher in der Kürbiskernspitze geschoben. Nun wird eine kleine Kugel aufgefaßt und der Draht durch das zweite Loch wieder auf die Rückseite des Kernes geführt. Ein Drahtteil wird durch das dritte Loch wieder auf die Kernvorderseite geschoben und mit dem Draht der Kernrückseite verdrillt. 5 Blütenblätter um einen Stempel anordnen.

a b c d e f

Blumen aus Maiskörnern

a) Schwierig ist das Andrahten der Körner, wenn der Mais bereits ganz ausgetrocknet ist. Die Körner lassen sich nicht mehr mit einer Nadel durchstechen. Um die Maiskörner wird dann ein silberner oder goldener Wickeldraht geschlungen (der Draht liegt in der Kornmulde, evtl. kann man auch eine kleine Kerbe vorschneiden) und fest verdrillt. Die so befestigten fünf Körner verteilt man um einen Blütenstempel.

b) Solange die Maiskörner nach der Ernte nicht ausgetrocknet sind, sticht man mit einer Nadel in das weiche Körnerunterteil ein Loch. Ein 8 cm langer Wickeldraht wird durch das Loch bis zur Mitte geschoben und auf der Körneroberseite eine Perle auf den Draht aufgefaßt und verdrahtet. Die fertigen Körner um einen Stempel anordnen.

c) 4 oder 5 Maiskörner mit Wickeldraht andrahten. Um einen Blütenstempel binden.

d) Abwechselnd 3mal zwei rote Perlen und drei Maiskörner aufreihen, zusammendrahten. Gegenüber der Bindestelle ein Drahtstück als zweiten Stiel einhängen. Die Blume zurechtbiegen und die beiden Drahtstiele fest zusammendrehen.

e) 6 Maiskörner durchstechen, auf einen Draht aufreihen und zusammendrahten. Gegenüber der Bindestelle Drahtstück als zweiten Stiel einhängen. Die Körner um einen Stempel zu einer Blume formen und die beiden Stiele verdrillen.

f) In die Maiskornspitze wird mit einer Schere eine kleine Kerbe geschnitten. 1 cm Bouillondraht auf einen 12 cm langen Wickeldraht aufziehen und das Maiskorn umschlingen. Zwei Bouillonstücke von $1^1/_2$ cm Länge werden angedrahtet, über einen Blütenstempel in Kreuzform gewölbt und verdrahtet. Die vier Blütenblätter um den so entstandenen Stempel befestigen.

Herstellen von Bouillonblumen

a) 5 Bouillonstücke mit einer Länge von je 3 cm werden vorgeschnitten. 14 cm langen Bindedraht durch den Bouillondraht schieben und in der Mitte des Bindedrahtes zu einem Blütenblatt formen und zusammendrahten. Um einen Blütenstempel festbinden.

b) Festen Bindedraht durch 4 cm langen Bouillondraht schieben und zu einem Blütenblatt zusammendrahten. Nun wird für jedes Blütenblatt 1 cm Bouillondraht auseinandergezogen und um die Blütenblätter geschlungen. Der Anfang und das Ende des gezogenen Bouillondrahtes ist unten an der Zusammendrahtstelle. 4 bis 5 Blütenblätter bindet man zu einer Blüte um einen Stempel.

c) Arbeitsgang wie bei b), nur beim Zusammendrahten der Blütenblätter werden kleine Blütenstempel mit eingebunden und erst dann das Blatt mit gezogenem Bouillondraht umspannt. Die kleinen Blütenstempel werden zwischen den Spanndraht gearbeitet.

d) 7 cm Bouillondraht auf festen Bindedraht auffassen, zusammendrehen und in Nierenform biegen. 2 Blütenblätter um 3 Nelken andrahten.

e) 4 cm Bouillondraht auffassen, zu einem sehr schmalen Blatt formen und zusammendrahten. 8 Blütenblätter um einen Stempel anordnen.

f) 8 cm Bouillondraht auf einen Wickeldraht auffassen. Je 5 bis 7 cm Wickeldraht für den Stiel rechnen. Bouillonbezogenen Draht um eine dünne Stricknadel schlingen. Den gewickelten Draht leicht auseinanderziehen, zum Blatt formen und zusammendrehen. 5 Blätter um einen Nelkenstempel andrahten.

g) 7 cm Bouillondraht auffassen und zu einem dreizackigen Blütenblatt formen (siehe Skizze). 3 Blütenblätter um einen Stempel binden.

h) Gleichmäßigen Anisstern aussuchen. Mit ca. 2 cm gezogenem Bouillondraht bespannen. 10 cm Bouillondraht auf einen Wickeldraht aufziehen und als Abschluß um den Sternanis winden. Drahtenden zum Stiel zusammendrehen.

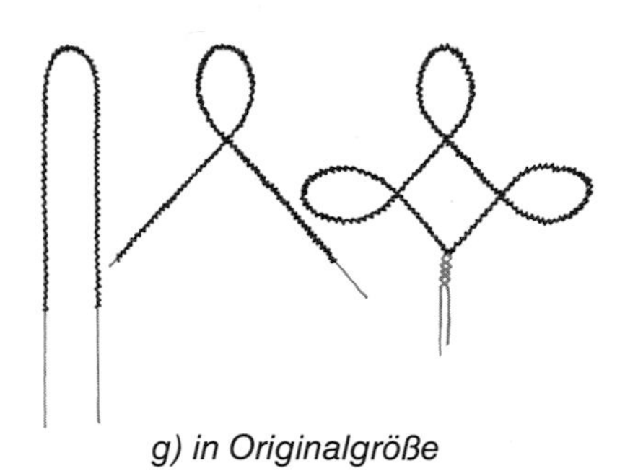

g) in Originalgröße

a	b	c	d	e
f	g	h	i	k
l	m	n	o	p

i) 10 cm Bouillondraht auffassen und halbieren. Von dieser Mitte aus den doppelten Bouillondraht zur Schnecke aufrollen. 3 bis 4 Blütenblätter um einen Stempel drahten.
k) Für ein Blütenblatt 6x1 cm Bouillondraht abschneiden. Im Wechsel mit je 3 Perlen und 1 cm Bouillondraht auffassen und die beiden Drahtenden zusammenbinden. Aufgefaßten Draht in Blattform biegen. 4 Blütenblätter ergeben eine Blüte. Blätter fest an einen Stempel andrahten, zur Tulpenform biegen. Die Blume außen mit 4 cm gezogenem Bouillondraht umspannen.
l) Bei dieser Blume wurden kleine Perlen auf einen Bindedraht aufgereiht, die fertigen Blütenblätter mit gezogenem Bouillon umspannt und um einen Blütenstempel geordnet.
m) 25 cm silbernen oder goldenen Wickeldraht zuschneiden. Nach 5 cm Draht, für den Stiel, 15 cm Wickeldraht zu einer Spirale über eine etwas dickere Stopfnadel wickeln, die restlichen 5 cm wieder für den Stiel übrig lassen. Den gewickelten Draht auf ca. 5 cm auseinanderziehen und zu einem Blatt zusammendrehen. Das Blattinnere mit leicht gezogenem Bouillondraht umwickeln. 4 bis 5 Blätter um einen Stempel zu einer Blüte binden.
n) 12 cm Bouillondraht auffassen. Je zwei aufgefaßte Bouillondrähte vorsichtig nebeneinander um eine dünne Stricknadel wikkeln. Bouillondraht dabei nicht auseinanderziehen. Fertige Doppelspirale etwas dehnen und in Blattform zusammendrahten. Mit gezogenem Bouillondraht umspannen und um einen Stempel befestigen.
o) 3 bis 4 cm Bouillondraht auffassen. Bei 6 gleichlangen Nelken Draht am Nelkenhals anlegen, Nelkenkopf mit Bouillon umschlingen und 2- bis 3mal um den Nelkenhals abwärts wickeln, 5 cm Stiel übrig lassen, um einen Stempel andrahten.
p) 3x6 cm Bouillondraht auffassen. Die drei 6 cm langen Stiele zusammendrehen und vorsichtig aus dem Bouillondraht einen Zopf flechten. Stielenden ebenfalls verdrillen. Fertigen Zopf zu einem Blatt formen. 4 cm Bouillondraht auffassen, halbieren und zu einem schmalen Blatt formen. Je drei geflochtene und 3 schmale Blütenblätter im Wechsel ergeben eine Blume.

Ruskuspyramide

Beliebt ist immer wieder die Pyramidenform. Diesmal wurde sie aus Ruskus hergestellt. Das kleine Gesteck ist ein vorteilhafter Tischschmuck, da es rundherum gearbeitet wurde.
Ein gutstehendes Gefäß mit Knety oder Steckkitt ausfüllen. In diese Knetmasse steckt man einen 30 bis 40 cm langen fingerdicken Holzstab.
Dieser Stab wird ca. 1 cm dick mit Knetymasse hochmodelliert.
Gleich oberhalb des Gefäßes werden etwas längere Ruskuszweige eingesteckt. Sie sollen 1 bis 2 cm über den Gefäßrand reichen. Nun steckt man bis zur Stabspitze immer kürzere Ruskuszweige ein. Nach Beendigung der Arbeit soll vom knetyumhüllten Holzstab nichts mehr zu sehen sein.
Das Ausschmückungsmaterial wurde mit grünem Wickeldraht angedrahtet und zwischen den Ruskuszweigen in die Knetymasse gesteckt.

Material:
Erlen-, Kiefern-, Lärchen-, Hemlock- und Zypressenzapfen, Schafgarben, Jungfer im Grünen, Bucheckern, Mohn, Ingwer, Nelken, Stangenzimt, Sternanis, Mohn- und Kümmelkugeln, Pistazien, Kürbiskernblumen und kleine Samtblumen.

Zapfensträußchen

Möglichst kleine Kiefernzapfen werden nach der untersten Schuppenreihe mit einem ca. 25 cm langen Bindedraht umwickelt und fest angedrahtet.
Bei den abgebildeten Sträußchen wurden 29 Zapfen mit einem Durchmesser von etwa 2 bis 2½ cm benötigt. Zuerst werden 5 bis 6 Zapfen ungefähr 3 cm unterhalb der letzten Zapfenschuppen zusammengedrahtet. Anschließend um diesen etwas erhöhten Mittelpunkt die anderen Zapfen binden. Der fertige Strauß soll eine kugelartige Form zeigen. Als Abschluß folgt ein Kranz von 7 bis 8 Dekorationsblättern. Die Drahtenden werden fest zu einem Stiel zusammengebunden. Die weiße Papiermanschette wird über den Stiel geschoben und mit grünem oder braunem Floristenband oder einem Kreppstreifen am Stiel befestigt. Zugleich ist damit der Stiel verkleidet.
Ausgeschmückt wurde das Sträußchen mit Bouillonblumen, kleinem Feldmohn und einer roten Samtschleife.

Bucheckernsträußchen

Wie der Zapfenstrauß ist auch dieses kleine Gebinde aus sehr preisgünstigem Material. Die Bucheckern kann man sich bei einem Herbstspaziergang im Wald oder im Park selbst sammeln.
Die Bucheckern werden am Stiel mit dünnem Wickeldraht angedrahtet und drei kleine Sträußchen mit je 5 bis 6 Bucheckern zusammengebunden. Diese kleinen Sträußchen drahtet man mit den Maiskörnerblumen zu einem größeren Strauß zusammen. Um den so gearbeiteten Strauß werden so lange weitere einzelne Bucheckern gebunden, bis die gewünschte Straußgröße erreicht ist. Man benötigt 28 bis 30 Bucheckern und 6 bis 7 Maiskörnerblumen.
Die Lücken zwischen Blumen und Bucheckern wurden mit Bouillonachter-Nelken ausgeschmückt.
Den Abschluß bildet eine Blättermanschette. Der Drahtstiel wurde mit Floristenband umwickelt.

Nelkenkränzchen

Neben den Gewürzsträußchen sind die Nelkenkränzchen die bekanntesten Gebinde.
Ein etwas stärkerer Draht oder doppelt genommener Bindedraht wird mit 1 cm breitem, braunem oder moosgrünem Floristenband umwickelt.
Länge des Drahtes: Bouillonkranz 19 cm, Silberkränzchen 17 cm, Kranz ohne Bouillon 15 cm, Kränzchen mit Nelken ohne Kopf 16 cm, Herz 25 cm, Kerzenkränzchen 14 cm.
Bei der Herstellung der Kränzchen werden zuerst die Nelken angedrahtet, je nach Größe 80 bis 140 Stück.
Nun kann man die Nelken auf zwei verschiedene Arten an den mit Krepp umwickelten Draht befestigen. Das mit Krepp umwickelte Drahtstück liegt immer in der linken Hand.
Erste Art: Man kürzt einige Nelkenhälse um die Hälfte. Nun legt man eine kurze Nelke an den linken Außenrand des Drahtgerüstes, daneben ordnet man, je nach dem wie viele Reihen das Kränzchen aufweisen soll, noch weitere 3 bis 4 Nelken mit normaler Halslänge an. Die Nelken sollen von außen nach innen immer höher werden. Diese so aneinander gelegten Nelken wer-

den mit Floristenband festgebunden. Das Floristenkrepp wird dabei 2mal um den Draht geschlungen.
Zweite Art: Etwas einfacher geht diese Bindetechnik: 3 bis 5 Nelkenköpfe werden der Größe nach nebeneinandergereiht. Die Nelke mit dem kürzesten Hals ist links. Mit dem Drahtstiel einer Nelke werden alle Nelken fächerförmig zusammengebunden. An dem Drahtgerüst kann dadurch in einem Arbeitsgang jeweils eine ganze Nelkenreihe befestigt werden.
Beim Binden ist darauf zu achten, daß die Nelken gleichmäßig aneinander gereiht werden. Die Nelken sollen dabei zwar dicht stehen, sich aber nicht überschneiden.
Um ein schönes Kränzchen zu erhalten, wird 1½ cm vor dem Drahtgerüstende keine Nelke mehr angebracht.
Das Nelkengerüst wird in Kreis- oder Herzform gebogen, das Gerüstende neben den Anfang gelegt und mit dünnem Wickeldraht zusammengebunden. Die Nelken an der Bindestelle werden dabei etwas auseinandergebogen, der dünne Wickeldraht durch die Nelken geführt und verdrillt. Zum Schluß wird die Drahtstelle mit Floristenband umwickelt, somit ist nur eine Drahtverdickung sichtbar.
Sehr kleine Blumen können nachträglich eingeklebt werden, bei größeren empfiehlt es sich, die Blumen anstelle einer oder mehrerer Nelken einzubinden. Die schmale Samtschleife befestigt man mit dünnem Wickeldraht an der Stelle, an der Anfang und Ende zusammenstoßen. Beim Nelkenherz ist die Bindestelle in der Herzmulde.
Zum Schluß werden die Nelken noch geordnet, d.h. die Nelken, die zusammen an das Drahtgerüst gebunden wurden, werden in die richtige Reihe gebracht. Im Herz- und Kranzinneren sind die Nelken am höchsten, sie fallen zum Außenrand hin ab.

Großer Nelkenkranz

Fast die gleiche Bindetechnik wie bei den Nelkenkränzchen wird auch bei den größeren Kränzen angewandt.
Die Drahtlänge der Gerüste: 44 cm, 28 cm, 26 cm und 20 cm.

Vor dem Beginn des Bindens werden immer 6 bis 7 Nelken zu kleinen Bündeln zusammengedrahtet. Diese Nelkenbündel bindet man dann mit Floristenkrepp an das Drahtgerüst. Für ein mittleres Kränzchen benötigt man etwa 500 Nelken. Die Blumen werden in die Kränze eingebunden.

Gewürzkranz

Dieser Gewürzkranz hat einen Durchmesser von 20 cm. Alle Gewürze werden vor dem Binden mit Bouillondraht umspannt und mit einem 8 cm langen Stiel versehen. Das Grundgerüst ist ein 44 cm langer, 3facher Wickeldraht. Der Draht wird mit Floristenkrepp umwickelt. Das Kreppband wird erst 25 bis 30 cm nach dem Draht abgeschnitten. Dieses Band benötigt man zum Anbinden der Gewürze. Es empfiehlt sich, immer nur Floristenkreppstücke von höchstens 30 cm Länge zu benützen, da sich sonst der Krepp sehr leicht zusammenrollt und sich dann schlecht verarbeiten läßt.

Die Gewürze und Zapfen werden in der Mitte des Gerüstes etwas höher, an den Seiten kürzer angebunden. Die Breite soll nicht mehr als 5 bis 6 cm betragen.

Nach einem Stück von 15 cm biegt man die „Gewürzwurst" in die Rundung und formt den Kranz vor. Nun kann man bereits erkennen, ob der Kranz gleichmäßig dicht wird oder ob zu wenig Gewürze eingebunden wurden. In kleine Lücken können nachträglich Gewürze oder Blumen eingeklebt werden.

Der Kranz kann mit und ohne Blätter gearbeitet werden. Der Blätterabstand beträgt ca. 1 bis $1^1/_2$ cm.

Ist die ganze Oberseite des Drahtgerüstes mit Gewürzen umbunden, wird der Kranz rund gebogen und zusammengedrahtet. Um den Anfang und das Ende besser ineinander schieben zu können, bleibt das Gerüstende 2 bis 3 cm ohne Gewürze. Beim Zusammenbinden stößt der Gewürzanfang und das Endstück des Drahtes ganz ineinander. Die Gewürze werden auseinandergedrückt und zwischen den Gewürzen das Gerüst zusammengedrahtet und mit Floristenband umwickelt. Die Bindestelle kann auch mit einer Schleife verdeckt werden.

Material:

Nelken, Zimt, Sternanis, Ingwer, Mohn- und Kümmelkugeln, Muskatnuß, Bucheckern, Erlen-, Lärchen-, Zypressen- und kleine Kiefernzapfen, kleiner Mohn.

Blumen aus Stoff

Bei den Blumen a) bis e) wurde jeweils silberner oder goldener dünner Wickeldraht verarbeitet.
Über einen Wickeldraht wurde mit einem weiteren Drahtstück eine Spirale geschlungen. Die Wicklung soll möglichst gleichmäßig sein, die einzelnen Windungen nicht weiter als 2 mm auseinanderliegen. Die Umwicklung wird nur im Bereich des Blütenblattes benötigt. Beide Stielenden sind bei jeder gezeigten Stoffblume mindestens 5 cm lang. Diese Stiellänge muß bei jeder Blumenart dazugerechnet werden. Beispiel: 5 cm Stiel + 6 cm umwickeltes Mittelstück + nochmals 5 cm Stiel.
Aus dem so vorgearbeiteten Draht wird ein Blütenblatt geformt und verdrahtet. Die Drahtblätter werden auf einer Seite dünn mit Klebstoff bestrichen, auf den ausgewählten Stoff aufgelegt und festgedrückt. Nach dem Trocknen wird außerhalb der Drahtlinie mit einer gutschneidenden Schere das Blütenblatt ausgeschnitten.

a) 6 cm langen umwickelten Draht (Gesamtlänge 16 cm) herstellen. Der Draht wird um einen Schraubverschluß einer Uhu-Tube geformt und verdrahtet. Blütendraht auf den Stoff aufkleben und ausschneiden. Fünf so entstandene Blütenblätter um einen Stempel andrahten.

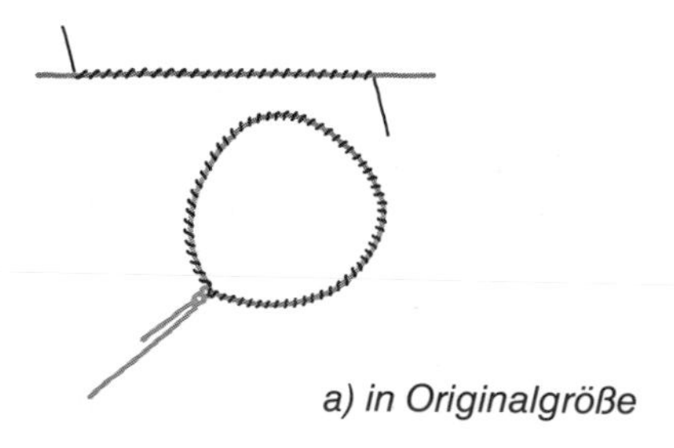

a) in Originalgröße

b) 4 cm langen umwickelten Draht anfertigen (Gesamtlänge 14 cm). Sechs gleichmäßige, schmale, 2 cm lange Blütenblätter herstellen, aufkleben und ausschneiden. Um einen Blütenstempel anordnen.

c) 3 cm langen umwickelten Draht herstellen (Gesamtlänge 13 cm). Draht über einen etwas dickeren Kugelschreiber formen und zusammendrehen. 4 gleichgroße Blütenblätter herstellen, aufkleben und ausschneiden. 2 x 2 cm Bouillondraht auffassen, über einen Blütenstempel kreuzweise wölben und verdrahten. Blütenblätter um den so entstandenen Stempel binden.

d) 5 cm langen umwickelten Draht herstellen (Gesamtlänge 15 cm). Aus dem 5 cm langen Drahtmittelstück spitze, gleichgroße Blütenblätter anfertigen, aufkleben und ausschneiden. Aus einem 2 cm breiten und 5 cm langen Stoff dünne Fransen schneiden und um einen Blütenstempel winden, zusammendrahten. Eine Blüte besteht aus 5 Blättern.

e) 7 cm langen umwickelten Draht herstellen (Gesamtlänge 17 cm). Aus dem 7 cm langen Mittelstück runde Blätter anfertigen. 5 Blätter vorbereiten. Aus 4 cm umwickelten Draht (Gesamtlänge 14 cm) kleinere runde Blütenblätter herstellen. Zuerst um den Stempel die 3 kleineren Blätter andrahten und die 5 größeren Blätter darüber anordnen.

f) Einige kleine Blütenstempel zwischen Daumen und Zeigefinger so legen, daß die Stempelköpfe zur Handfläche schauen. 10 cm durchsichtiges, 2,5 cm breites Zierband wie eine Haube um den Daumen wickeln, an der Daumenkuppe zusammenziehen und mit den Blütenstempeln verdrahten.

g) Aus einer weißen Spitzenborte wurden drei Blütenblätter aus dem Spitzenmuster ausgeschnitten, angedrahtet und um eine Blütenstempelgruppe gebunden.

h) 20 cm Tüllschleife, 2 cm breit, auf einen Wickeldraht aufreihen, verdrahten. Zwei gekaufte Stempel durch ein Bouillondrahtstück schieben und mit in die Tüllblume einbinden.

Blumen aus Maisblättern

Die Blätter der Körnermaiskolben kann man sich selbst sammeln oder auch im Bastelgeschäft abgepackt kaufen.

Sollen die Blätter nicht im hellen Naturton verarbeitet werden, färbt man sie vorher mit Holzbeize, Stoff- oder Batikfarbe ein. Die Blätter auf dem Bild wurden mit Batikfarbe gefärbt. Die Farbe wird laut Beschreibung angesetzt und die Blätter mindestens 6 Stunden in das Farbbad gelegt; dadurch wird eine gleichmäßige Tönung erreicht. Jedes Blatt wird danach mit kaltem Wasser gründlich ausgewaschen und kann sofort verarbeitet werden. Nasse Blätter lassen sich wesentlich besser binden.

a) Aus einem Maisblatt werden sechs 8 cm lange und 7 mm breite Teile zugeschnitten. Die beiden Streifenenden werden aufeinandergelegt und zusammengedrahtet. Als Stempel wird ein 2 cm breites und 6 cm langes Blattstück ausgeschnitten. Es wird die Längsseite halbiert, locker zusam-

mengewickelt und zusammengedrahtet. Ein 6 x 6 cm großes Blattstück ebenfalls halbieren und um den innersten Stempel wikkeln und festdrahten. Nun die Blütenbogen um den Stempel anordnen.

b) An der Stelle, an der die Maisblätter an den Kolben angewachsen sind, bilden die Blätter eine starke natürliche Wölbung. Aus diesen Teilen werden 5 spitz zulaufende Blütenblätter ausgeschnitten. Länge 5 cm, Breite 1,5 cm. Aus einem 5 x 5 cm großen Maisblatt wurden Fransen geschnitten und zu einem Stempel zusammengedrahtet. Die Maisblätter um diesen Stempel befestigen.

c) Aus 8 cm langen und 1 cm breiten Blätterstreifen werden Spitztüten geformt und angedrahtet. Diese Blättertüten mit der Spitze nach innen um einen Fransenstempel arbeiten.

d) 8 cm breites und 10 bis 12 cm langes Maisblatt zuschneiden. In der Mitte auf 4 cm zusammenklappen und sehr dünn 3 cm tief einschneiden. Der Blattbug ist oben. In drei andersfarbige, 6 cm lange und 1/2 cm breite Streifen ganz oben einen Knoten einknüpfen, zusammendrahten und um diesen Blütenstempel die geschnittenen Blätterfransen wickeln, verdrahten und von oben etwas auseinanderdrücken.

e) 6 Blütenblätter herstellen wie bei Blume a). Diese Blätter so um den Stempel andrahten, daß nicht der Blattbogen, sondern die 7-mm-Blattseite die Blume bildet. Als Stempel wurde ein 7 cm langes und 1,5 cm breites Blattstück verwendet. In die

Mitte des Blattstreifens wurde ein lockerer Knoten gearbeitet und vorsichtig etwas auseinandergezogen.

) 6 Blütenblätter, oben abgerundet, ,5 cm lang und 12 mm breit zuschneiden. Zuerst 3 Blütenblätter um einen Fransenstempel drahten und in die Zwischenräume der ersten Blätter die restlichen 3 Blätter anordnen.

g) 5 Maistüten wie bei Blüte c) herstellen. Mit der Tütenspitze nach außen um einen Stempel andrahten.

Gewürzband

Auf der Rückseite einer mindestens 8 cm breiten und 50 cm langen Borte wird ein etwas kleinerer Karton aufgeklebt. Damit erhält das Gewürzgebinde eine feste Unterlage. Ein Stück Bambusstab in der Breite der Borte mit einem Messer halbieren und an den beiden Bortenenden festkleben.
18 kleine 4 bis 5 cm lange Ruskussträußchen anfertigen. Diese Sträuße an einen 22 cm langen Ruskusstab befestigen (Arbeitstechnik: Braunes Wandgebinde von Seite 9).
Höchstens vier Sträußchen werden in die Mitte eingebunden, so ergibt sich für das Einkleben der Zapfen, Blumen usw. ein besserer Zwischenraum.
Das Ruskusgebinde wird möglichst flach gearbeitet und mit Klebstoff und einigen Stichen auf der Borte befestigt.

Material zum Ausschmücken:
Stoffblumen, Erlen-, Kiefern- und Lärchenzapfen, kleiner Feldmohn, weiße Staticen, Eicheln und Bucheckern.

Gewürzsträußchen mit Stoffblumen

Fast eine kleine Kostbarkeit sind diese Sträußchen. Ihre Herstellung ist zwar etwas mühsam, aber die Arbeit lohnt sich.
Der Durchmesser der fertigen Sträuße beträgt ohne Manschette zwischen 9 und 10 cm.
Zuerst werden die Stoffblumen hergestellt (Seite 26), je Strauß 6 oder 7.
Für jedes Sträußchen werden etwa 70 Nelken verschieden angedrahtet. Weiter benötigt man noch 3 Bucheckern, 1 Zimtstange zu 3 Teilen geschnitten, 2 Muskatnüsse, 2 bis 3 Pistazien, 2 bis 3 Mohn- und Kümmelkugeln, 2 bis 3 Ingwerstücke, 3 Sternanis, 3 Kandiszucker weiß oder braun, evtl. auch einen Würfelzucker, einige Kürbiskerne und 1 bis 2 Vanillestangenteile.
Alle Gewürze werden mit Bouillondraht angedrahtet. Die Drahtenden sollen 10 bis 12 cm lang sein, damit sie später gut zusammengebunden werden können.
Um je eine Stoffblume werden 5 oder 6 Gewürze angedrahtet. Die Nelken vorher zu kleinen Bündeln von 6 bis 7 Stück zusammenbinden, dann erst an den Blumen befestigen. Hat man dann je nach Wunsch 6 bis 8 Blumen vorgerichtet, können sie zu einem Sträußchen gebunden werden. Der Strauß soll eine schöne Halbkugel bilden. Die Bindestelle ist ca. 3 cm unterhalb der Gewürze und Blumen.
Entstehen beim Zusammenbinden kleine Lücken, so können sie mit Nelken ausgefüllt werden. Den Abschluß bildet ein Blätterkranz.
Die Blätter werden möglichst fest an die Gewürze herangeschoben und festgedrahtet. Es ist vorteilhaft, nur immer je 2 oder 3 Blätter anzudrahten, da sie leicht verrutschen.
Eine Manschette in Gold, Silber oder Weiß gibt dem Sträußchen die festliche Note.

Ruskus-Gewürzsträußchen

In dieses Ruskus-Gewürzsträußchen wurden fünf Stoffblumen (a von Seite 26) eingearbeitet. Gewürze wie Ingwer, Zimtstange, Sternanis, Nelken, Muskatnuß, Chilies und Wacholderbeeren wurden eingeklebt.

Selbstgemachter Rumtopf, Marmelade oder auch Honig ist immer ein willkommenes Geschenk. Mit Dirndlstoff wurden die Gläser zugebunden und mit einem kleinen Mini-Sträußchen verziert.
Statt einer Manschette wurde eine kleine Schleife unter die Gewürze gebunden und der Stiel mit Floristenkrepp umwickelt.

Material:
Je 1 Buchecker, Erlenzapfen, Sternanis, Ingwerstück, Kürbiskern, 16 Nelken und 3 kleine Blumen.

Silbernes Brautgebinde

Einen schönen gleichmäßigen Ruskusstrauß herstellen (Durchmesser 20 cm). Den Strauß mit einer silbernen Manschette versehen.
Ausgeschmückt wird der Strauß mit versilberten Lärchen- und Erlenzapfen, Nelkengruppen mit 8 bis 10 Nelken, versilbertem Schleierkraut, Stoffblumen (Seite 26, d) sowie Bouillondrahtblumen (Seite 17, n).
Die Schleife wurde aus 5 Einzelbändern gearbeitet.
Von einem Band mit der Länge von 130 cm werden 70 cm zu drei Schleifen zusammengedrahtet und eingesteckt. Der kurze Schleifenanfang hängt bis zur Manschette. Das lange Bandteil wird zunächst lose über den Strauß gezogen.
4 Bänder mit einer Länge von je 1 m werden in der Mitte zusammengelegt und alle 4 Bänder 12 cm unterhalb des Buges zusammengedrahtet, so daß 4 Schleifen mit 8 Bändern entstehen.
Das Bandteil der Einzelschleife wird zu diesen 4 Schleifen dazugebunden und in die gewünschte Stelle eingeklebt (s. Skizze).
Die herabhängenden Bänder schräg und in verschiedenen Höhen abschneiden. Evtl. kann man zusätzlich noch eine silberne 1 m lange Zierschleife dazubinden.

Silbernes Brautkrönchen

Ein einfaches Nelkenkränzchen wurde zu einem Brautkrönchen umgestaltet. Das Krönchen ist ganz in Silber gearbeitet (Gerüstlänge 16 cm). Statt grünem Floristenkrepp zur Befestigung der Nelken wurde ebenfalls Silberdraht verwendet. Dieser Silberdraht muß allerdings sehr eng gewickelt werden, damit die Stielenden der Nelken gut verdeckt sind. Zwischen die Nelkenköpfe wurden im gleichen Abstand weiße Blütenstempel (oder auch kleine Blumen) gebunden.
Für die Kronenreifen wurden je vier Bouillondrähte von 18 und 20 cm zugeschnitten und mit silbernem Wickeldraht aufgefaßt. Je zwei gleichlange aufgefaßte Drähte werden nebeneinander über eine Stricknadel zur Spirale gedreht. Die fertige Spirale wird etwas auseinandergezogen (17 und 19 cm) und zuerst die kurzen Teile über Kreuz am Nelkenkränzchen angedrahtet. Erst dann werden die großen Teile darübergearbeitet und in der Kranzmitte mit einem Stück aufgefaßtem Bouillondraht verbunden.

Goldener Brautstrauß

Zu diesem 14 cm großen Brautstrauß wurden 140 Nelken ausgesucht und mit etwas stärkerem Bouillondraht umwickelt; dazu kommen 16 braune Erlenzapfen. Alle Teile wurden bei diesem Strauß mit goldenem Wickeldraht angebunden, die Stiele 12 cm lang gelassen.

Um zehn Spitzenstoffblumen, eine kleine Nelkengruppe und Zapfen in unterschiedlicher Höhe andrahten. Die so entstandenen 10 kleinen Sträußchen bindet man möglichst flach zu einem Strauß zusammen. 5 x 3 Blättergruppen werden im Dreieck zusammengedrahtet (siehe Skizze). Eine goldene Manschette bildet den Abschluß.

Goldenes Brautkrönchen

Zu diesem kleinen Hochzeitsdiadem benötigt man einen Goldwickeldraht von 24 cm Länge. Diese Drahtlänge wird mindestens fünffach genommen, je nach Stärke des Drahtes. Am Drahtanfang werden 2 cm Draht zu einer Öse gebogen und mit goldenem Wickeldraht sehr dicht umwickelt. Anschließend werden mit diesem Draht auf einer Länge von 3 cm Nelken befestigt.

Es ist dabei immer darauf zu achten, daß das Grundgerüst gleichmäßig dicht mit Wikkeldraht umspannt wird.

Nun folgt eine Spitzenblume.

Nach weiteren 4 cm Nelken wird die Mittelblume gebunden. Das Diadem kann nun spiegelbildlich fertig gearbeitet werden.

Als Abschluß werden wieder 2 cm Draht plus die Stieldrähte der Nelken zu einer Öse gebogen und dicht mit Wickeldraht umbunden.

Brautstrauß aus Farn

In Bastelgeschäften und Gärtnereien werden für bunte Herbststräuße Farne in grüner und rotbrauner Färbung angeboten. Dieser Strauß wurde aus grünem Farn gearbeitet.

Von großen Farnwedeln werden die kleinen Seitenfächer abgeschnitten. Nur die Farnspitze mit einer Länge von 12 cm bleibt als ganzes Stück erhalten. Die einzelnen Farnfächer werden wie beim Ruskusstrauß zu kleinen Sträußen zusammengedrahtet und ein Drahtende von 10 bis 12 cm als Stiel belassen.

Zu einem Strauß mit einem Durchmesser von 16 bis 18 cm braucht man 6 bis 7 Sträußchen. Die Einzelsträuße werden fest zu einem Strauß zusammengedrahtet und die Drahtstiele mit Wickeldraht umwickelt.

Eine Papiermanschette anbringen und den Stiel mit weißem Kreppapier umwickeln.

Die Fächerwedel von oben her etwas auseinanderdrücken.

Um einen schönen Strauß zu erhalten, kann man zum Schluß die Farnspitzen am Stiel gut mit Klebstoff bestreichen und so in den Strauß einkleben, daß der Farn auf der Manschette liegt.

Ausgeschmückt wurde dieser Strauß mit hellgelben Seidenblumen und weißen Maiglöckchen.

Aus zweimal 1,5 m weißem Tüllband werden die Schleifen so gefaltet, daß vier 40 cm lange Schleifenenden herabhängen.

Staticenkranz mit bunten Maisblätterblumen

Um ein 76 cm langes Gerüst aus Ruskusstengeln wurden im Wechsel kleine Sträußchen aus weißen Staticen, Ruskus und durchsichtigen Judassilberlingen befestigt. Die Vorder- und Rückseite des Kranzes wird gleichmäßig dicht gebunden, so daß man das Kränzchen als Fensterschmuck benutzen kann.
Soll der Kranz als Tisch- oder Wanddekoration Verwendung finden, wird die Kranzrückseite nicht mit Ruskus usw. umbunden, dann liegt der Kranz flach auf dem Untergrund.
An der Bindestelle von Kranzanfang und Kranzende befestigt man ein Aufhängeband oder beim Tisch- oder Wandkranz eine Schleife.

Fensterkugel

Ein Päckchen Knety wird zu einer Kugel geformt und etwas in Eiform gedrückt.
Dieses Knety-Ei ganz mit Verbandsmull umspannen, mit Bindedraht zusammendrahten und an der Spitze einen Aufhänger für die Schleife formen.
Nun das Knety-Ei dicht mit 6 bis 8 cm langen Ruskusspitzen bestecken und mit naturbelassenen Maisblätterblumen, künstlichem rotem Paprika, roten Äpfeln, Schafgarben, Lärchenzapfen und weißen Staticen ausschmücken.
Alle Gegenstände wurden angedrahtet und in die Knetymasse gesteckt.
Die Aufhängeschleife (Länge je nach Fensterhöhe) durch die Öse des Bindedrahtes ziehen, verknoten und evtl. zu einer Schleife binden.

Spanschachtel mit Filigranrose

Die große Beliebtheit des Spanschachtel-Sammelns ist weit verbreitet.
Hier eine neue Art des Schmückens nach sehr altem Vorbild. Bereits im 17. und 18. Jahrhundert wurde mit dünnem goldenem oder silbernem Spiralendraht gearbeitet.
In jedem Bastelgeschäft bekommt man Spanschachteln in verschiedenen Größen und Formen. Die Spanschachtel (Schachtel auf dem Bild oval 10 cm) wird mit Filz, Samt oder d-c-fix-Klebesamt bezogen. Beim Beziehen des Dosenunterteils ist darauf zu achten, daß der Samt bereits am Deckelbeginn endet, da sonst der Dosendeckel nicht mehr auf das Unterteil paßt.
Auf den Dosendeckel werden je nach Größe der Dose 2 bis 3 Zierblätter geklebt.

Herstellen der großen Rose:
3 goldene und 3 silberne Bouillondrähte in einer Länge von 9 cm zuschneiden und auf silber- bzw. goldfarbigen Draht auffassen. Je einen goldenen und einen silbernen Bouillondraht nebeneinander um eine mittlere Sticknadel (die Wicklung über eine Stricknadel ist nur bei sehr großen Blumen geeignet) wickeln. Dabei soll der Bouillondraht möglichst nicht gedehnt werden (Skizze a).

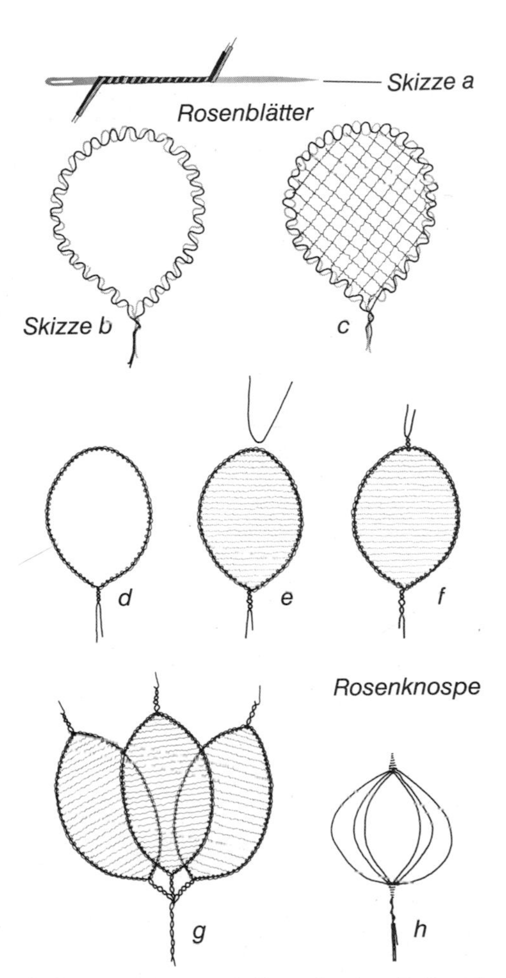

Die zusammengewickelten Bouillondrähte werden leicht auseinandergezogen, bis sie die Länge von 8,5 cm erreichen und zu einem Blütenblatt geformt.

Die drei Mittelblüten bestehen aus 6 cm langem, goldenem Bouillondraht, der ebenfalls doppelt über eine Sticknadel gewickelt wurde. Wie bei den großen Blütenblättern wird der Bouillondraht nach dem Wickeln auf knappe 6 cm auseinandergezogen und zum Blatt zusammengedrahtet (Skizze b).

Ein Stück Bouillondraht von ca. 5 cm wird zu einem langen dünnen Draht auseinandergezogen und von Spiralenstufe zu Spiralenstufe des kleinen Blütenblattes geschlungen, so daß ein feines Gitter entsteht (Skizze c).

Um einen goldenen Blütenstempel werden die drei kleinen Blütenblätter angedrahtet, dann befestigt man dazwischen die drei großen Blütenblätter.

Mit Golddraht wird 1 bis 2 cm lang der Stiel der Blume ganz dicht umwickelt und abgeschnitten.

Herstellen der Rosenknospen:

Drei Blütenblätter ergeben eine Rosenknospe. Je nach Größe der Knospen verwendet man für jede Knospe Bouillondrahtstücke mit einer Länge von 4,5 und 7 cm. Der Bouillondraht wird auf einen Golddraht (Golddraht doppelt verwenden, da er ansonsten zu schwach ist) aufgeschoben und dann zu einem Blatt zusammengedrahtet (Skizze d).

Die Knospenblätter werden mit gezogenem Bouillondraht bespannt (Skizze e).

Ein ca. 5 cm langes Golddrahtstück wird in die Blütenblattrundung eingedrahtet (siehe Skizze f).

3 Blätter werden an den Stielen zusammengedreht, ebenfalls an den Blattspitzen, und zur Knospe gebogen. Die Drähte an der Spitze werden ca. 0,5 cm hoch mit Draht umwickelt; so entsteht die Knospenspitze. Der restliche Draht wird abgeschnitten (Skizze h).

Die fertige Filigranrose und die drei Rosenknospen werden auf die Spanschachtel angeordnet und angeklebt. Wurde die Spanschachtel mit Filz oder Samt bezogen, können die Blumen noch zusätzlich angenäht werden.

Die Stelle, an der die Blütenstiele zusammenstoßen, wird mit einer Samtschleife überdeckt.

Staticenstrauß

Zierlich und besonders dekorativ auf dunkler Tischplatte wirkt dieser nie verwelkende weiße Staticenstrauß.

Der Strauß hat einen Durchmesser von etwa 20 cm und eine Höhe von 12 cm. Eine Papiermanschette bildet den Abschluß.

Die Staticen werden in einem Arbeitsgang zu einem halbkugeligen Sträußchen zusammengebunden, der Stiel auf eine Länge von 8 bis 10 cm zugeschnitten, verdrahtet und mit der Manschette versehen.

Die Blumen bestehen aus Silberdraht, der mit rotem Nähfaden bespannt wurde.

Der Silberdraht wird 25 cm lang zugeschnitten. Über eine dünne Nähnadel gewickelt, so daß eine Spirale von ungefähr 2 cm entsteht. Ein Stiel von je 3 cm wird am Spiralenbeginn und am -ende nicht gewickelt.

Nun wird die Spirale auf eine Länge von 5 cm auseinandergezogen und zu einem kreisförmigen Blütenblatt gebunden.

Das Bespannen mit rotem Faden beginnt man rechts unten. Man spannt den Faden nach links schräg oben und führt ihn von Spiralenstufe zu Spiralenstufe zum Blattoberteil.

Der Faden wird am oberen Blattrand auf die linke Blattseite gelegt und von oben nach unten weitergearbeitet. Am Blattstiel wird der Faden verknotet.

Zu einer Blüte benötigt man vier Blütenblätter, die um einen roten Stempel gebunden werden.

Die zwolf Fadenblumen und die kleinen Stern-Immortellen werden in den Staticenstrauß eingeklebt.

Mohnkapsel-Strauß

Aus den leuchtenden Blüten des einjährigen Kultur- oder Schlafmohns entwickeln sich bei der Reife etwa 2 cm große eiförmige Samenkapseln, die man zu einem schmucken Strauß binden kann.
Bei selbstgesammeltem Klatschmohn ist zu empfehlen, die ausgereiften Kapseln mit einer Stiellänge von 25 bis 30 cm abzuschneiden und bereits vor dem Trocknen mit Bindedraht fest zusammenzubinden.
Die Mohnkapseln sind ausgereift, wenn sich unterhalb der Kapselkrone die Samenöffnungen bilden.
Beim Zusammendrahten der Mohnkapseln ist darauf zu achten, daß ein gleichmäßig runder Strauß entsteht. Der fertige Strauß wird nun mit den Kapseln nach unten an einem trockenen Ort noch 2 bis 3 Wochen nachgetrocknet.
Gekaufter Mohn läßt sich wesentlich schlechter verarbeiten. Beim Zusammenbinden brechen die Stiele sehr leicht ab, daher ist es ratsam, daß jeweils nur 3 bis 5 Kapseln vorgebunden werden.
Je nach Straußgröße werden 5 bis 7 kleine Sträuße zu einer Halbkugel zusammengedrahtet. Die Straußmitte muß etwas höher sein und zum Straußrand hin abfallen.
Der fertige Strauß kann mit einer Schleifen- oder Papiermanschette versehen werden.
Für die Schleifenmanschette benötigt man eine Schleife von 2 bis 3 Meter Länge. Die Länge richtet sich nach der Schleifenbeschaffenheit, z. B. Tüll- oder Leinenschleife.
Beim Auffassen der Schleife schiebt man einen festen Bindedraht durch das Band (Skizze a).
Die so aufgefaßte Schleife wird auf die Bindestelle des Straußes um den Stiel geschlungen und zusammengedrahtet. Damit die Schleifenmanschette nicht am Stiel herabhängt, sondern einen schönen Abschluß um die Mohnkapseln bildet, stellt man den Strauß auf den Kopf (Skizze b) und streift alle Schleifenschlingen in Richtung des Straußes. Die Schleife wird nochmals nachgebunden, und zwar etwa 1 cm vom Schleifendraht entfernt in Richtung der Mohnkapseln.
Beim Anbringen der Papiermanschette wird vorher der Straußstiel mit Draht zusammengehalten, die Manschette etwas eingeschnitten und über den Stiel gestreift. Der Straußstiel kann mit braunem Kreppapier verkleidet werden.
Die Mohnkapseln des braunen Straußes wurden vor dem Zusammendrahten mit gezogenem Bouillondraht umspannt.
Alle Blumen, Zieräpfel, Ruskusblätter und Gräser wurden in die Sträuße eingeklebt.

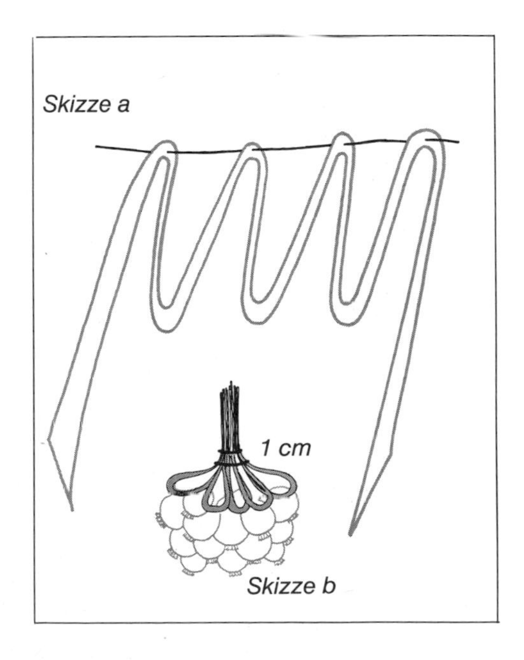

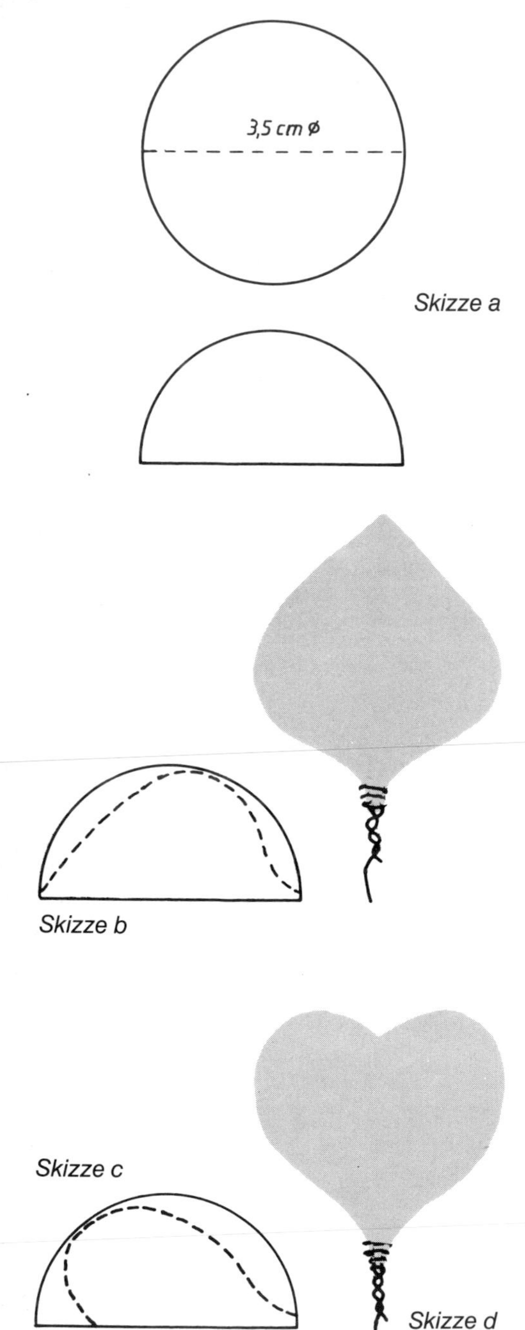

Skizze a

Skizze b

Skizze c

Skizze d

Herstellen der braunen Wildlederblumen:

Aus Wildleder wird ein Kreis mit einem Durchmesser von 3,5 cm ausgeschnitten (Skizze a) und in der Mitte zusammengelegt.
Eine Blattform (Skizze b) oder eine Herzform (Skizze c) wird ausgeschnitten. Einen kleinen Blattstiel mit anschneiden.
Der Blattstiel wird fest mit dünnem Wickeldraht zusammengedrahtet (Skizze d).
Das Blatt wird in der Mitte auseinandergeklappt. Fünf bis sechs Blütenblätter werden um einen Stempel angeordnet und angedrahtet.

Längliches Mohngebinde

An einem 22 cm langen dünnen Holzstab werden einige gebleichte Gräser oder Ähren mit Bindedraht gebunden. Sie schauen ca. 5 cm über den Stab.
Nun wird eine Mohnkapsel oben festgebunden, darunter folgen zwei, dann drei, dann vier usw. Diese Kapseln werden im Verband angeordnet und festgedrahtet.
Große Zwischenräume werden mit Gräsern, Ähren oder Blumen gefüllt.
Ungefähr nach der Hälfte der gewünschten Gebindegröße wird die Anzahl der Mohnkapseln nicht mehr erhöht.
Beim abgebildeten Arrangement wurde nach 3 Reihen mit je vier Kapseln der Strauß abgeschlossen.
Nach Erreichen der gewünschten Größe werden die Mohnstiele fest zusammengedrahtet. Die Verdrahtung wird mit einer Schleife verdeckt.
Die vorstehenden Stiele werden in die gewünschte Form geschnitten und aus Draht auf der Gebinderückseite ein Aufhänger angefertigt.

Kleine Gebinde für viele Gelegenheiten

Glasvogel: Vielleicht haben Sie beim Einkaufsbummel Glück und finden so einen kleinen Vollglasvogel. Er läßt sich schnell als hübsches Geschenk oder als Tischschmuck gestalten.
Etwas oberhalb des Schwanzansatzes wird eine Knetykugel im Durchmesser von etwa 2 cm fest auf das Glas aufgedrückt. Knetet man die Kittmasse kurze Zeit in der Hand, wird sie weicher und haftet besser.
Einige Nelken werden mit Bouillondraht umwickelt und der Draht nach 1 cm abgeschnitten. Die Nelken werden in Gruppen in die Knetymasse gesteckt. Kleine Ruskus- oder Erikagrasspitzen werden so eingesteckt, daß sie auf dem Vogel liegen.
Mit Zimtteilen, Sternanis, Feldmohn und einigen künstlichen Blumen wird die Knetymasse abgedeckt. Als kleine Auflockerung erhält der Vogel noch eine Samtschleife. Auch sie wurde an einem kurzen Drahtstiel befestigt und eingesteckt.

Gewürzlöffel: Muskatnuß, Sternanis, Pfeffer, Zimt- und Vanillestange, Ingwer, Anis, Chilies, Nelken, Piment, Paprika, Kümmel, Lorbeerblatt und Wacholderbeere wurden für diesen Zinnlöffel ausgewählt.
Auf dem Löffel wird eine 1 cm große Knetykugel aufgedrückt und mit Wickeldraht am Löffelstiel befestigt. Alle Gewürze werden mit einem 1 cm langen Drahtstiel versehen und so in die Knetymasse eingesteckt, daß sie nicht mehr zu sehen ist.
Eine ganze Muskatnuß ist für den Löffel zu wuchtig; sie wurde deshalb mit einem scharfen Messer halbiert, angedrahtet und dann mit der Schnittstelle in die Knetmasse gedrückt. Lorbeerblätter kann man mit der Schere in die gewünschte Größe schneiden.

Weihnachtsanhänger

Zum Aufhängen der Mohnkapseln und Äpfel wird ein etwa 60 cm langes, 1/2 cm breites Band aus Samt, Velours oder eine einfache Schleife in der Mitte zusammengelegt, die rechte Seite nach außen. Die beiden Enden werden in der Höhe von 5 cm zusammengeknotet und die Bandenden schräg abgeschnitten. Die Bandenden bestreicht man mit etwas Klebstoff und befestigt sie über dem Apfelstiel und bei der Mohnkapsel über der Stielverdickung. Der Bandknoten sitzt dabei genau auf dem Stiel. Damit das Band einen guten Halt bekommt wird es noch etwas festgenäht.
Mit reichlich Klebstoff werden nun Ruskusspitzen, Schafgarbenteile, Bucheckern, Minimohn, Erlenzapfen, Staticen, Eichelhütchen, Gewürze und Seidenblumen befestigt.

Der Strohstern mit dem kleinen Blumensträußchen ist ein dekorativer Christbaumschmuck.
Ein gekaufter oder selbsthergestellter Stern dient als Unterlage.
Das Blumensträußchen wird wie der Trachtenanstecker (Seite 13) auf ein Zierblatt gearbeitet. Die Drahtenden werden mit Floristenkrepp umwickelt und mit einer Samtschleife geschmückt. Das fertige Sträußchen klebt man in die Sternmitte.

Ratschläge
Gold- und Silberbouillon soll nie zusammen aufbewahrt werden, da der silberne Boullondraht sehr schnell gelblich anläuft.
Auch bei der Lagerung von Bouillondraht mit Nelken und anderen Gewürzen dunkelt der Draht nach und verliert seinen Glanz.